Le petit pot

Texte et illustrations : François Daxhelet

À Denis

C'était l'été, et ce jour-là, papi Moustache avait emmené Ficelle, sa petite chatte, chez Cajoline.

– Ficelle restera quelques jours chez toi. Voudras-tu t'occuper d'elle ? lui demanda-t-il.

– Oh oui ! répondit Cajoline.

Cajoline, qui aimait
beaucoup Ficelle, la prit
dans ses bras et lui fit
un gros câlin. Mais
subitement, Ficelle sauta
par terre et sortit de la pièce
en courant.

– Où va-t-elle ? demanda Cajoline en suivant Ficelle.

– Faire ses petits besoins, répondit papi Moustache. Les chats sont des animaux très propres. Chaque fois qu'elle a envie, Ficelle se précipite dans sa litière.

– Moi aussi, je veux une litière
comme Ficelle, dit Cajoline.
– Les petites filles ne vont pas dans
une litière, répondit papi Moustache
en souriant. Elles utilisent le petit pot.
– Alors je veux un pot ! dit Cajoline.

Le lendemain, maman arriva à la maison avec une surprise pour Cajoline. Elle déposa dans la salle de bains, à côté de la grande toilette, un objet qui ressemblait à un petit fauteuil en plastique jaune et vert.

– Voici ton petit pot, dit maman,
tu peux l'essayer si tu veux.
Quand tu seras capable
de l'utiliser, tu n'auras plus besoin de
couche et tu pourras porter une vraie
culotte de grande fille.

Cajoline s'assit sur le petit siège. Mais comme elle n'avait pas envie, il n'y avait toujours rien dans le fond du petit pot, après quelques minutes.

– Ce n'est pas facile, dit Cajoline un peu déçue.

– Il ne faut pas se décourager, dit maman.

Un peu plus tard, Cajoline, qui était tranquillement installée devant la télévision, sentit soudain l'envie de faire pipi.

– Maman ! cria-t-elle, j'ai enviiiie !

– Vite ! vite ! dépêche-toi ! lui dit maman.

Mais zut ! il était trop tard. Cajoline avait fait pipi avant d'arriver sur le pot.

– Ne t'en fais pas, même Ficelle au début n'arrivait pas toujours à temps dans sa litière, lui expliqua maman.

– Est-ce que sa maman lui mettait une couche ?

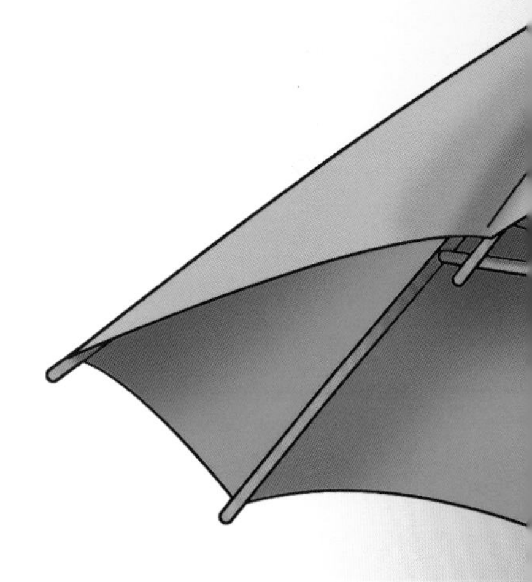

Plusieurs jours passèrent et, alors qu'elle jouait dans le jardin, Cajoline eut envie de faire pipi.
Sans rien demander à personne,
elle courut s'installer sur le petit pot...
– Pssssss... le petit pipi coula dans le pot.

– Bravo, Cajoline ! s'exclamèrent maman et papa, tu as réussi !

– Je peux avoir une petite culotte de grande fille maintenant ? demanda fièrement Cajoline.

– Oui, bien entendu ! répondit maman.

Cajoline, vêtue d'une magnifique petite culotte décorée de fleurs rouges et bleues, dansait de joie quand papi Moustache arriva.

– Papi Moustache ! Je n'ai plus besoin de couche ! J'ai une petite culotte et je suis propre comme Ficelle !

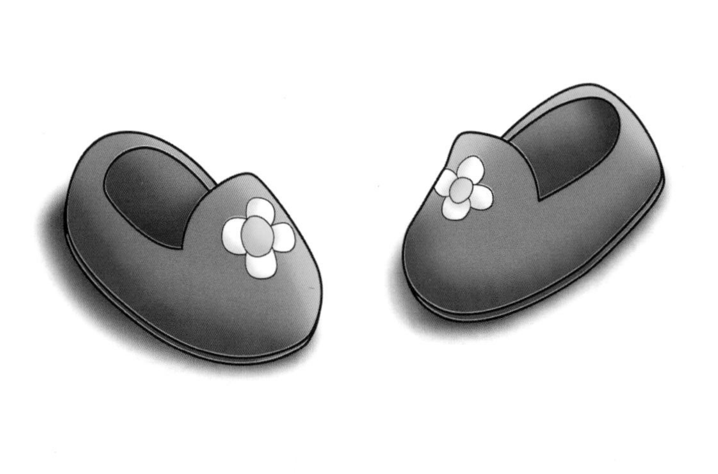

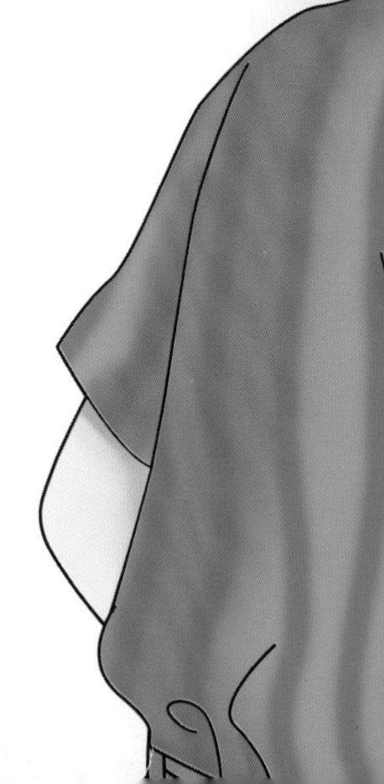

Albums de lecture

9782895950769

9782895950776

9782895951070

9782895951179

9782895951865

9782895951971

9782895952244

9782895952374

9782895953067

9782895954262

9782895955306

9782895956624

9782895957171

Venez visiter le **www.cajoline.net**
ou le **www.boomerangjeunesse.com**
pour voir les autres titres de ma série!

Vous pourrez également avoir de mes nouvelles et laisser vos commentaires sur ma page Facebook :
facebook.com/joliecajoline

Catalogage avant publication de Bibliothèque et Archives nationales du Québec et Bibliothèque et Archives Canada

Daxhelet, François, 1975-

Le petit pot

(Cajoline)
Pour enfants de 2 ans et plus.

ISBN 978-2-89595-077-6

I. Titre. II. Collection : Daxhelet, François, 1975- . Cajoline.

PS8607.A97P48 2004 jC843'.6 C2005-001952-X
PS9607.A97P48 2004

11e impression : février 2014

Gouvernement du Québec — Programme de crédit d'impôt pour l'édition de livres — Gestion SODEC

Boomerang éditeur jeunesse remercie la Société de développement des entreprises culturelles (SODEC) pour l'aide accordée à son programme éditorial.

Nous reconnaissons l'aide financière du gouvernement du Canada par l'entremise du Fonds du livre du Canada (FLC) pour nos activités d'édition.

Imprimé au Canada

Dépôt légal — Bibliothèque et Archives nationales du Québec,

2e trimestre 2004
ISBN 978-2-89595-077-6